尊重生命 亲近自然

给热爱科学探索的你

这是_____的书

法布尔昆虫记（g）

神奇麻醉师——飞蝗泥蜂

北京科学技术出版社

『마취 의사 구멍벌』by Kyung-Sook Cho Ko (author) & Sung-young Kim (illustrator)
Copyright © 2003 Bluebird Child Co
Translation rights arranged by Bluebird Child Co. through Shinwon Agency Co. in Korea
Simplified Chinese edition copyright © 2005 by Beijing Science and Technology Press

著作权合同登记号
图字：01-2005-3606

图书在版编目（CIP）数据

神奇麻醉师/（韩）曹京淑编著；（韩）金成荣绘；李明淑译.
—北京：北京科学技术出版社，2009.10 重印
（法布尔昆虫记系列丛书）
ISBN 978 - 7 - 5304 - 3172 - 6

Ⅰ. 神… Ⅱ. ①曹…②金…③李… Ⅲ. 昆虫-少年读物 Ⅳ. Q96 - 49
中国版本图书馆 CIP 数据核字（2005）第 053762 号

神奇麻醉师——法布尔昆虫记（9）

作　　者：曹京淑
责任编辑：白　林
责任校对：黄立辉
封面设计：鹿鼎原
图文制作：邱晓萍
出 版 人：张敬德
出版发行：北京科学技术出版社
社　　址：北京西直门南大街 16 号
邮政编码：100035
电话传真：0086 - 10 - 66161951（总编室）
　　　　　0086 - 10 - 66113227（发行部）　0086 - 10 - 66161952（发行部传真）
电子邮箱：bjkjpress@163.com
网　　址：www.bkjpress.com
经　　销：新华书店
印　　刷：保定华升印刷有限公司
开　　本：787mm × 1092mm　1/16
字　　数：22 千
印　　张：7.5
版　　次：2006 年 1 月第 1 版
印　　次：2009 年 10 月第 7 次印刷
ISBN 978 - 7 - 5304 - 3172 - 6/G · 404

定　价：19.80 元

序

中国科学院院士 张广学

    法布尔先生是一位热爱自然的伟大科学家，也是一位优秀的文学家。19世纪末，杰出的法布尔先生捧出了一部《昆虫记》，世界响起了一片赞叹之声，并且这片赞叹声响彻了100多年，直到今天！

    法布尔先生写的《昆虫记》非常朴素和优美，他把一部严肃的学术著作写成了优美的散文，让人们不仅能从中获得知识和思想，更能获得一种美的享受，并由衷地产生对大自然深深的热爱！

    作为一位科学家，一位用心去观察、用爱去体会的科学家，法布尔先生的科学研究是充满诗意的，他从不把昆虫开膛破肚，而是充满爱心地在田野里观察它们，跟它们亲密无间。他用诗人的语言，描绘这些鲜活的生命，昆虫在他的笔下是生动、美丽、聪明、勇敢的，他说他在"探究生命"，要"使人们喜欢它们"。他的心思如同一个孩童般纯真，而他的文笔也像孩童般充满想像力和感染力。他要让厌恶这些小东西的人们知道，微不足道的小小虫儿有着许多神奇的本领，它们勇于接受大自然的考验，要在这个世界上争得生存的空间。

    北京科学技术出版社出版的这套改编的儿童版《法布尔昆虫记》，让小朋友们换了一个方式来阅读这部科学经典。这套书用简洁的语言、可爱的彩图、活泼的故事情节描绘了法布尔原著中具有代表性的昆虫，讲述它们的生活，展现它们的个性，处处流露出对它们的喜爱。我向小朋友们推荐这套图画本的《法布尔昆虫记》，正是因为它的语言非常简洁优美，每种昆虫形象栩栩如生，十分可爱，小朋友们甚至可以透过文字看到它们的喜怒哀乐，故事情节兼具科学性和趣味性，能够激发小朋友们的阅读兴趣和对大自然的神秘好奇心，培养他们尊重生命、亲近自然、热爱科学探索的精神！

    最后，希望北京科技出版社能够出版更多更好的儿童科普书，同时也祝愿我国的儿童科普事业蓬勃发展！

张广学

2005.8.26.

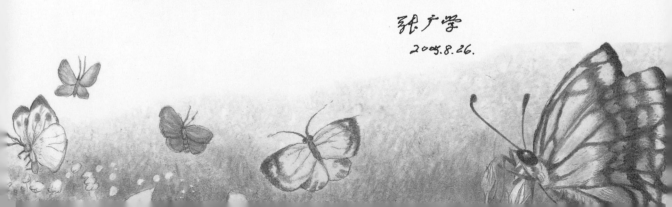

神奇麻醉师

　　"嗡嗡嗡……"，蜜蜂飞过来了，"哎呀，小心蜂针刺着你！"每当小朋友们听到这些都会很害怕。别担心，蜜蜂并不会随便使用自己的蜂针，它们只有在十分必要的时候才会使用它。

　　本书将为你介绍昆虫界的麻醉师——飞蝗泥蜂，它具有独特的麻醉技术和麻醉针。当飞蝗泥蜂发现猎物以后，会迅速地用毒针麻醉对手，使其无法动弹。然后，将猎物快速拖到自己的家里，在猎物的身上产卵，再飞出洞穴并将洞口封锁。当飞蝗泥蜂的幼虫从卵里孵化出来后，便可在安全的洞穴里，慢慢地吃着活生生的新鲜食物，逐渐长成成年飞蝗泥蜂。

　　可是，幼虫的食物怎么会是活的呢？这全靠母飞蝗泥蜂卓越的麻醉技术。但这对猎物来说是件非常恐怖的事情，在它们被幼虫全部吃掉之前，会一直保持活生生的新鲜状态。

　　看！那儿有一只飞蝗泥蜂正在进行麻醉手术呢，快和法布尔先生一起去观察飞蝗泥蜂吧！

目录

神奇麻醉师——飞蝗泥蜂

一直以来，法布尔先生对飞蝗泥蜂的麻醉技术非常关心，
但是，他却没有机会亲眼目睹飞蝗泥蜂的麻醉过程。
法布尔经常一整天坐在一个地方等着飞蝗泥蜂的出现，
人们看到他这样痴迷都觉得很奇怪，
但法布尔先生一点儿也不在乎别人异样的眼光。
等了许久，终于有只飞蝗泥蜂出现了，
他就是专门捕猎螽斯的"朗格多克飞蝗泥蜂"。
那只飞蝗泥蜂好像已经结束了麻醉手术，
法布尔先生又一次错过了麻醉场面。
正当这时，螽斯用脚拼命地钩住路边的野草，
做着最后的挣扎。
虽然已经做了麻醉手术，
但螽斯的触角和脚仍然可以活动，
飞蝗泥蜂只好再进行一次麻醉手术。
这次，他咬住了螽斯的脑神经节。
法布尔见状马上回家按照刚刚观察到的方法，
对一只螽斯进行了麻醉手术。
结果，螽斯果然昏迷不醒，
但是，这只螽斯不仅昏迷不醒，而且很快就死去了。
法布尔先生非常懊恼，
因为法布尔只是想让螽斯昏迷，而不是让他真的死去。

直到 20 年后，
法布尔先生才亲眼见到飞蝗泥蜂的整个麻醉过程，
这要归功于法布尔先生的儿子埃米尔。
法布尔先生经过多次实验发现，
飞蝗泥蜂在施展令人惊叹的麻醉技术的同时，
有时对于意外情况却又做出非常愚蠢的行动。
这说明飞蝗泥蜂只能按照自己的本能行动，
就像计算机程序一样，一成不变，
并不具备思考应变的能力。

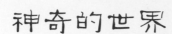

神奇的世界

"哈哈，这回我也是大人了！"
朗格多克飞蝗泥蜂"阿彩"
一边爬出蜂窝，一边大声喊道。
屋子外边既明亮又温暖，
七月的阳光普照着大地。
身材娇小的阿彩好奇地看着外面的世界，
天上的云、地上的大树、
美丽的花朵，她都感到十分新奇，
因为，这一切阿彩都是第一次看到。

这时，有一只雌节腹泥蜂出现了，
阿彩高兴地朝着节腹泥蜂阿姨"嗡嗡"地扇起了翅膀。
但是，雌节腹泥蜂"嗖"地一声从阿彩的身边飞过，
根本没有理睬阿彩，阿彩吓得倒退了一步。
惊魂未定的阿彩往后一看，
只见雌节腹泥蜂已经捉住了她身后的象鼻虫。

象鼻虫是一种身穿坚硬盔甲的昆虫，
由于动作迟缓，
常常成为其他昆虫的捕猎对象。
"象鼻虫穿着一身坚硬无比的盔甲，
节腹泥蜂阿姨该不会是选错猎物了吧？"

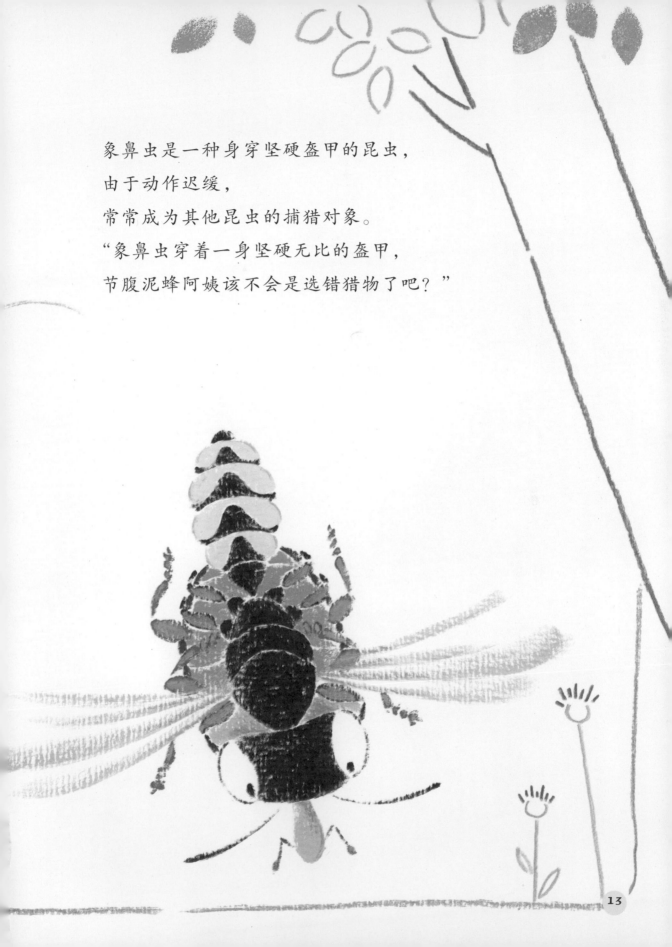

不过，奇怪的是，

雌节腹泥蜂不知道对象鼻虫做了什么，

象鼻虫一动不动地倒在地上。

阿彩揉了揉自己的眼睛，

"咦？到底发生了什么事啊，

才一眨眼工夫就……"

当节腹泥蜂阿姨悠闲地抱起战利品时，

发现了在一旁傻傻地盯着自己的阿彩。

阿彩鼓起勇气问道：

"那个……请问，

那只象鼻虫为什么一动也不动啊？"

正为顺利抓到象鼻虫而开心不已的雌节腹泥蜂，

看到阿彩用敬仰的目光望着自己，

不禁得意起来。

"从你那修长的身材来看，
你也是一只狩猎蜂吧？
我猜你是一只朗格多克飞蝗泥蜂吧！"
"嗯……既然您这么说，
应该没有错吧！
我刚刚才从家里爬出来，
看到美丽而广阔的世界，
让我好惊奇呀！
不过，没有比您的狩猎技术更让我感到新奇的了。"
节腹泥蜂听到阿彩的称赞后，笑着说道：
"真的吗？其实我刚才实战的技术，你也会做到的。
虽然你现在可能还不行，
但是会很快拥有的。
作为狩猎蜂的我们，
这是与生俱来的本领啊！"

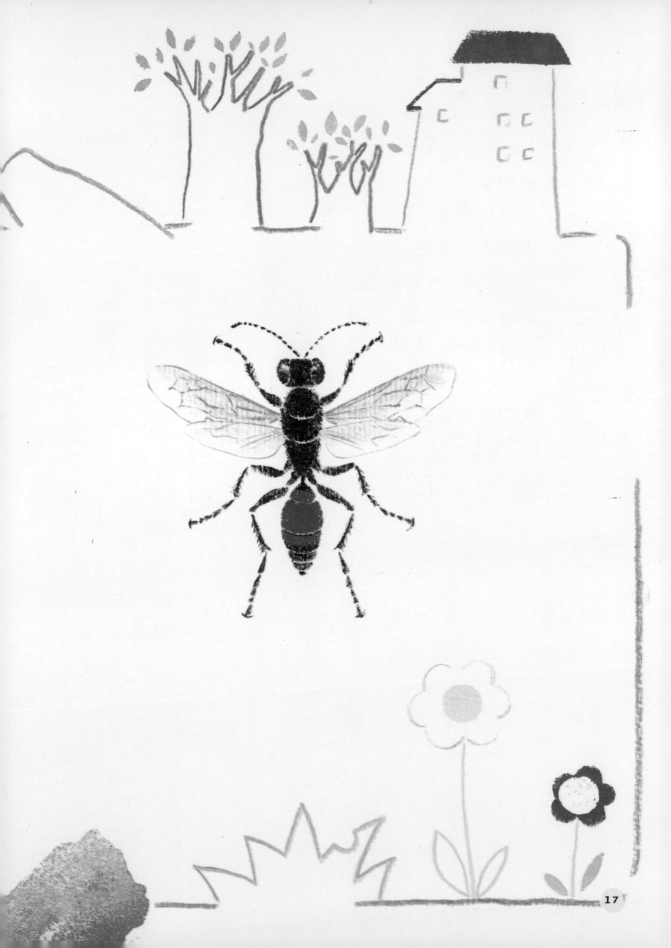

17

"我也能够做到吗？
您的意思是说，我以后也能杀死象鼻虫吗？"
雌节腹泥蜂听后皱起了眉头，
放下象鼻虫说道：
"你该不是以为我杀了象鼻虫吧！
你过来仔细瞧瞧，
这只象鼻虫还活得好好的呢！
而且，它在两周内都不会死掉。"
阿彩小心翼翼地来到象鼻虫旁边。

真的，和节腹泥蜂阿姨说的一样，
象鼻虫还活着呢!
阿彩发现象鼻虫的触角仍在微微地颤动着。
"啊，真的呀! 它还活着呢!
但是，它为什么不能动呀?"
阿彩觉得眼前的一切
真是太不可思议了。

"这叫做麻醉术，

别担心，等你长大了自然就会明白的。

不过，我听说你们飞蝗泥蜂

最喜欢捉肉质嫩一点的昆虫，

比如螽斯或蟋蟀之类的东西。

好啦，时间不早了。再见吧，小家伙！"

雌节腹泥蜂抱着象鼻虫嗖地一声飞走了。

留下阿彩一人呆呆地想：

"我也会做那么棒的事情吗？

可是，我如何才能学会麻醉手术呢？

需要上学习班吗？

我还不知道螽斯和蟋蟀长得什么模样呢！"

阿彩一边自言自语，一边继续四处散步。

对阿彩来说，周围的一切仍然是那么陌生。

这时，阿彩突然闻到了一股香味，

肚子似乎也跟着饿了起来。

阿彩看了看周围，

发现了长在大树后面的大蓟花。

香味正是从大蓟花中散发出来的，

"就是它，真好吃！"

阿彩大口大口地吃起了大蓟花花蜜，

吃着吃着，突然笑了起来。

是节腹泥蜂阿姨看错了吧!
身材修长的就是狩猎蜂吗?
我最喜欢的是花蜜,
还喜欢花粉!
比起打猎,
我更喜欢赏花。
是节腹泥蜂阿姨看错了吧!
我会在此幸福生活!
也许我是一只蜜蜂。

25

阿彩接连几天都待在大蓟花的海洋里，
观赏着四处盛开的美丽无比的大蓟花。
饿了，就飞落到花丛中，
吸食美味无比的花蜜，
过着幸福而又安逸的生活。

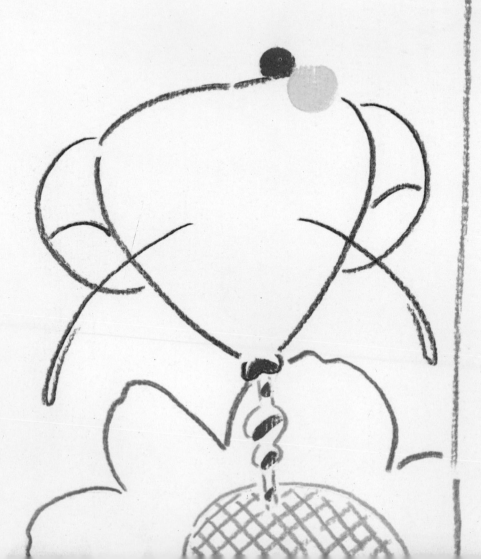

有一天，阿彩遇见了小英。

阿彩和小英长得像极了，

他们同样具有纤细的小腰和黑色的皮肤，

就连身高也差不多。

小英首先问道："你也是飞蝗泥蜂吗？"

"可能是吧，我也不太清楚，
前两天，节腹泥蜂阿姨就说我是朗格多克飞蝗泥蜂。
听阿姨说飞蝗泥蜂喜欢打猎，
但我却喜欢花粉和花蜜，
根本就不会打猎啊！"
小英听到阿彩的话后，呵呵笑了起来。
"目前为止可能还是这样吧！"
"目前为止？你这是什么意思啊？"
小英对着发愣的阿彩说：
"如果想知道的话，就跟我来吧！"
"上哪儿去呢？"
小英没有回答阿彩的问题，
自顾自地飞走了，
阿彩见状也跟着飞了过去。

她们飞过了阿彩喜爱的大蓟花丛，
又飞过了一条美丽的小溪，
来到了小山谷。
小英似乎对这里很熟悉，
向山谷的岩石下方飞去。

入学麻醉学校

小英带着阿彩来到了麻醉学校，
这里是专门教授麻醉技巧的地方，
这所学校坐落在山谷的向阳处，
显得非常安静而又温馨。
阿彩有些摸不着头绪，
呆呆地站在校门口。
"阿彩，快进来呀！"
小英催促着发愣的阿彩，
可是她还是犹豫地停在原地，
心急的小英不耐烦地说：
"这里的纤纤老师可是非常有名的麻醉医生！
专门教授我们必须掌握的麻醉技术！"

阿彩也想起以前曾经听说过
这位纤纤老师绝妙的捕猎技术，
但是，真的是非学不可吗？
阿彩心想："如果像现在这样生活，
并不需要学习什么麻醉技术吧！"

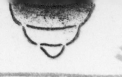

小英好像猜到了阿彩的心思，
便耐心地说："你好像还不太明白啊！
我们将来都需要结婚，
那么身为母蜂的我们，
为了小宝宝们的健康成长，
必须学会打猎才行啊！
如果想要顺利地捕捉到新鲜的食物，
就非得学习麻醉技术不可呀！"
小英说完后便转身飞进了学校。

阿彩终于明白过来，不停地点头赞同，
然后怀着激动的心情走进了学校的大门。
阿彩入学的这所学校是
飞蝗泥蜂专门学校中的重点学校，
阿彩被分到"螽斯狩猎班"，
因为她是捉螽斯作为幼虫食物的朗格多克飞蝗泥蜂；
而小英被分到"蟋蟀狩猎班"，
因为她是以蟋蟀作为幼虫食物的黄翅飞蝗泥峰。
上课铃声响了，
纤纤老师匆匆地走进教室，
她的动作看起来既敏捷又灵巧。
纤纤老师的腰部特别纤细，
上面还系着一条鲜红的腰带。

螽斯狩猎班

蟋蟀狩猎班

第一节课，

纤纤老师首先给学生们量身高，

"嗯！你的个子很高啊！是28毫米！"

"你比较矮一点，只有20毫米！"

阿彩的身高是25毫米。

纤纤老师量完学生们的身高后，

便告诉大家班上同学的身高

在19毫米到28毫米之间，

阿彩的身高比全班的平均身高稍微高了一点。

"不过，你们要捕猎的蚤斯，

身高达45毫米呢！"

听到纤纤老师的话，大家都吓了一跳，
身高45毫米的螽斯，
几乎是飞蝗泥蜂的两倍大呀！
纤纤老师还给大家讲，
螽斯的颚非常可怕，
如果一不小心被他咬住，
飞蝗泥蜂就会被撕烂的；
而且，螽斯还会摩擦翅膀，
发出尖锐的"吱吱"声来威慑对方。

第二节课时，纤纤老师教大家
如何选择合适的地方建房子。
对飞蝗泥蜂来说，
最适合建房子的地方就是旧墙壁上的凹陷处；
还有，一定要让阳光充分照射到
房子的每一个角落，
这种既温暖又不会风吹雨淋的地方
最适合我们的小宝宝居住了。
此外，为了方便挖掘，
还必须是土质松软的地方。
"因为螽斯多半分散生活，
所以，我们必须要把房子盖在
螽斯经常出没的地方；
螽斯的身体又大又沉，
因此还要考虑到搬运的距离，
我们只能在其附近安家落户。"

纤纤老师还教大家，
猎物的重量和数量常常就是
蜂类决定群集生活或是独居生活的关键。
像小英身长只有20毫米，
专门捕猎体重较轻的蟋蟀，
这样不论在何处捕到食物，
都可以轻松地把战利品带回群体生活的地方；
而阿彩这样的飞蝗泥蜂，
则以捕捉庞大的螽斯为生，

第二节下课，到了休息时间，

阿彩飞到了学校前面的花园里，

今天可能是因为专心学习的缘故，

阿彩感觉肚子特别地饿，

急忙大口大口地吃起了花蜜。

这时，蟋蟀狩猎班的小英也来到了花园，

阿彩欢喜地向小英大喊：

"小英，我在这里！"

小英也高兴地飞了过来，

"原来是阿彩呀！

怎么样，学习累不累啊？"

"不累！很有意思！

我在这里可以学到很多知识呢！

这些多亏了你，谢谢你呀！"

小英笑着说："快别这么说！

我也很高兴认识你！"

第三节课时，
纤纤老师带来了一个蟋斯模型，
这是所有课程中最重要的一节课，
专门学习麻醉的过程及技巧。

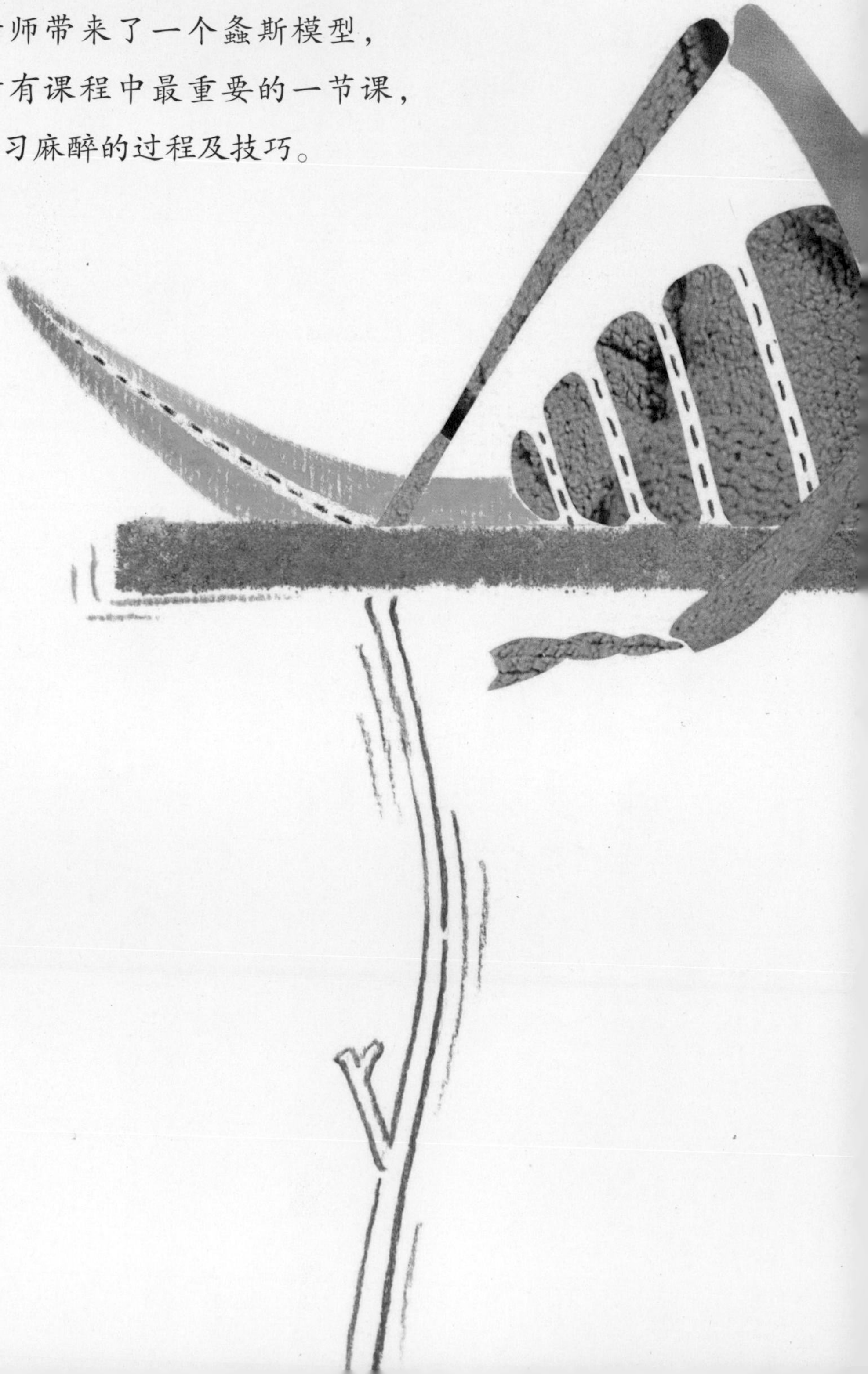

"现在我们先用它来做练习，
但是，同学们千万不要忘记，
你们要捕猎的蝨斯是活蹦乱跳的昆虫。
而且，你们一定要记住，
你们的捕猎目标是肥硕的雌蝨斯，
如果抓一只雄蝨斯给孩子们吃，
会让你的小宝宝们营养不良的！"

接下来，纤纤老师开始给大家示范麻醉过程，
首先，纤纤老师张开她的颚，
紧紧地咬住了蠡斯模型的后背，
然后，她将尾部向蠡斯的侧面拱起，
用末端的毒针瞄准蠡斯的前胸蜇了一针。
"这时候，蠡斯的动作就会变得迟钝，
而且也无法奋力抵抗了！"
纤纤老师紧接着攻击蠡斯模型的脖子，
只见她用力压住蠡斯模型，
使它的脖子伸得长长的，
再小心翼翼地将毒针蜇进蠡斯的颈部。

"这个位置是蝨斯的食道，里面有食物通过，
如果麻醉食道里面的神经，
蝨斯的大颚和触角便会无法动弹。
其实，我们要麻醉的是胸部的神经节，
但是因为蝨斯的胸部比较坚硬，
所以，我们要选择比较容易进针的颈部。
被蜇到胸部神经节的蝨斯
整个身体连颤抖的力量都没有，
就像是断了线的木偶一样！"

纤纤老师那敏捷灵巧的动作

和分毫不差的准确度，

让在场的学生们惊叹不已。

纤纤老师继续说：

"我们必须清楚猎物的身体结构，

这样我们才能一针击倒对方！"

接下来，大家开始学习

如何搬运被麻醉的沉重的猎物。

为了将蚤斯这个庞然大物搬进家里，

飞蝗泥蜂必须暂时放下昏迷的蚤斯，

先回到家把大门打开，

然后再回到原地搬运已经被麻醉的蚤斯。

"这时必须记住，
螽斯的触角和肢体的末端
还能够轻轻地颤抖。"
接着，飞蝗泥蜂便跨在螽斯身上，
用大颚紧紧咬住螽斯的触角，
慢慢地将猎物托回家去。

由于飞蝗泥蜂的猎物实在是太重了，

所以，无法像其他以捕捉吉丁虫

或象鼻虫的狩猎蜂一样

抱着猎物一口气飞回巢穴。

"虽然这样我们很辛苦，

但是，我们只需要

抓一只螽斯就可以结束捕猎行动。

当然，我们还需要在螽斯身上

找一处最安全的地方，

产下你们最宝贵的卵！"

最后，纤纤老师强调

千万不能忘记封住洞穴入口，

整个教学课程就结束了。

"我已经讲完了所有课程，

剩下的就得靠你们自己去领会了。

你们都是飞蝗泥蜂的后代，

所以不需要害怕，

只要你们认真做下去，

自然就能学会的，

因为这是我们飞蝗泥蜂的本能！"

我们是解剖学家！
我们是麻醉医生！

我们没有手术刀，
只有尾巴上的一根针，
又细又软的一根毒针！

所以一定要快速！
而且绝对要准确！
一针蜇进瞄准的部位，
那就是神经的中枢！

这样才能捕捉到
最美味最新鲜的食物！

我们是解剖学家！
我们是麻醉医生！

学生们一边唱着毕业歌，
一边离开了学校。

顽强的蚤斯

从麻醉学校毕业之后，
阿彩认识了一只雄飞蝗泥蜂，
并且没过多久就和他结为了夫妻。
转眼间已经到了炎热的夏天，
他们又要准备盖房子，又要狩猎。
"学校里学到的知识能派上用场吗？"
阿彩一边嘀咕着，
一边努力寻找适合盖房子的地方。
首先，阿彩必须找到一个蚤斯经常出没的地方，
这样才能将捕猎到手的猎物迅速搬回家来，
而且，土壤要松软，
同时还要有一定的隐蔽性。

阿彩一边回想着在学校学过的内容，
一边飞到斜坡和草原上寻找合适的地方。
但是她一无所获。
阿彩在不知不觉中，
飞到了梧桐树下面的一栋老房子旁边。

阿彩仔细看了看梧桐树和老房子，
然后，点了点头自言自语地说：
"嗯，这个地方看起来真不错！
好吧！就在这里吧！
大树附近的野草茂盛，
应该有很多蠡斯，
而且，在那个老房子的屋檐下盖房子
也能够遮挡风雨，真是太完美了！"

下定决心的阿彩，

迅速地飞到屋檐下方仔细检查，

虽然，屋檐距离地面有七八米之高，

但是对于阿彩来说这不成问题。

正如阿彩所想，

屋瓦下方确实堆着厚厚的一层泥土，

而且泥土松软，很适合挖掘；

再加上在隐蔽的屋瓦下面盖房子，

也不容易被其他昆虫发现。

阿彩认为，这里最适合小宝宝们生活。

为了寻找合适的地方盖房子，

阿彩已经飞了很长时间，

确实感觉有些疲惫了，

但是，能够找到这么好的地方，

阿彩的心里美滋滋的。

"加油！加油！"

为了自己的孩子，

就算再怎么辛苦，也都值得，

天下的母亲都是一样的伟大。

此时的阿彩，内心早已充满了浓浓的母爱。

我的小宝宝啊！
妈妈给你盖一间世界上最棒的房子！
妈妈为你准备世界上最美味的食物！

我的小宝宝啊！
妈妈准备的新鲜食物是
专门为你精挑细选的！

我的小宝宝啊！
妈妈盖的漂亮房子是
专门为你精心打造的！

我的小宝宝啊！我可爱的小宝宝啊！
等你在这里长大后，
一定会成为优秀的麻醉医生！

阿彩一边唱歌一边盖房子，
她努力回想着在麻醉学校看过的螽斯模型，
按照它的尺寸挖掘了一个洞穴，
并且很快就大功告成了。
离开房子的时候，
阿彩还利用洞穴旁边的泥土，
暂时将洞口盖上，使其隐蔽起来。
"好了！现在该去打猎了！"
阿彩坚定地离开了家，
"嗡嗡"地朝着草丛飞了过去。
她悄悄地停在梧桐树附近的草丛里，
仔细观察周围的动静，
等待着螽斯的出现。

不知过了多长时间，

草丛里传来了"吱吱喳喳"的声音，

一只螽斯出现在阿彩的前面。

"喂！你这个愚蠢的大块头！

你的死期到了！"

阿彩跳到螽斯前，挡住了他的去路，

但是，这只螽斯竟然眼睛都不眨一下，

直勾勾地盯着阿彩看。

"你这个不怕死的家伙！

看到我飞蝗泥蜂居然还不逃跑，

真是胆大包天啊！"

只见螽斯泰然自若地笑着说：
"你才是愚蠢的飞蝗泥蜂呢！
你看好了，我是雄螽斯！瘦小的雄螽斯！"
这时，阿彩才想起麻醉学校里学到的知识，
纤纤老师曾经说过：
如果不小心抓雄螽斯给孩子们吃，
会让你的小宝宝营养不良的！
"啊！"
阿彩这才恍然大悟，呆呆地站在原地，
雄螽斯却得意洋洋地一蹦一跳，消失在草丛里。

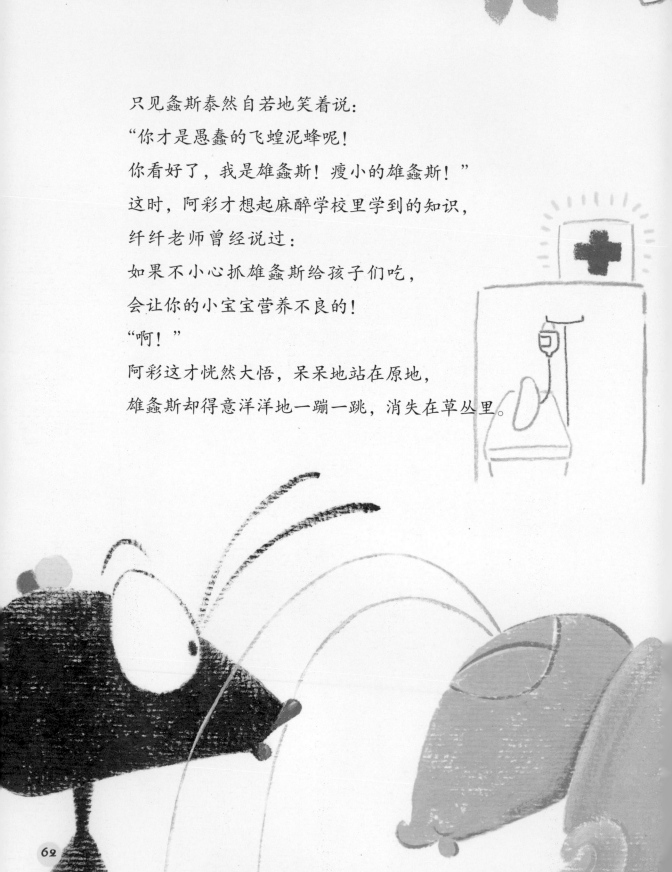

"呼，好险啊！刚才差一点出错了！"

阿彩重新打起精神，

"嗡"地飞向另一个地方，

继续等待怀有身孕的雌螽斯的出现。

"吱吱吱，喳喳喳"

阿彩听见了螽斯的鸣叫声，

这一次，阿彩聚精会神地盯着声音传来的地方。

啊！果然有一只螽斯出现了！

阿彩一眼就看出那是一只雌螽斯。

"谢谢你了！你注定要成为我宝宝的食物啦！"

阿彩高兴地差点喊了出来。

螽斯根本不知道有一只飞蝗泥蜂在紧盯着自己，

一蹦一跳地朝阿彩的方向走了过来。

“就是现在！”

阿彩箭一般快速地扑向雌蝨斯。

虽然从没有过类似的捕猎经验，

但是，凭着在麻醉学校里所学的技术和与生俱来的本领，

她尽力地张开大颚，一口咬住雌蝨斯的背部。

这时，遭到突袭的雌蝨斯，

吓了一跳，拼命地挣扎，

可是仍然无法逃脱阿彩的大颚，

阿彩没有想到自己娇小的身体里，

竟然孕育着如此巨大的力量。

转眼间，阿彩将这只比自己大上两倍的蝨斯，

牢牢地控制在大颚下，让蝨斯一动也不能动。

接着，阿彩一刻也没有停留，

将尾部的毒针刺向蝨斯的胸部。

这一切竟是在一瞬间完成的，

那速度真是迅雷不及掩耳。

只见蝨斯的身体渐渐放松了下来，

不久便一动不动地昏倒在地了。

接下来，阿彩瞄准了蟊斯的颈部，

她用力压住蟊斯的后背，

果然如她预想的那样，

蟊斯的颈部出现了一个大裂缝，

阿彩将毒针刺入蟊斯颈胸部的神经节，

此时的蟊斯连颤抖的力量都没有了，

四肢也变得软弱无力，

根本无法爬行或站立。

"哇！终于完成了！"

阿彩高兴地大声欢呼。

但是，她又有些担心，

这只蟊斯是不是死掉了，

由于这是阿彩平生第一次实施麻醉手术，

连她自己都不太相信自己的技术。

阿彩屏住呼吸静静地察看蟊斯的身体，

幸好，蟊斯头部的触角仍然在轻轻地晃动着。

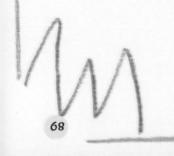

再仔细一看，

蠡斯的肚子还在轻微地上下起伏，

就连嘴巴也在不停的颤抖着，

阿彩这才确定蠡斯真的还活着。

阿彩高兴得手舞足蹈，

俨然已经成了一名杰出的麻醉师。

不过，只有在为自己的宝宝寻找食物时，

她才会使用这种麻醉方法。

做完麻醉手术的蠡斯，大约还可存活 17 天。

从现在开始，蠡斯的身体完全瘫痪，

虽然什么也吃不了，

但其心脏等重要器官仍然会进行新陈代谢，

因为每天消耗的能量很少，

所以完全可以存活下去。

如果给这只被麻醉的螽斯喂食的话，

她能够足足活上40天。

不过，如果将一只没有被麻醉的螽斯，

关在某个地方，不给她食物的话，

最多只能活上5天。

这是因为，螽斯为了逃脱而不停地挣扎，

会消耗太多能量；

若是将他们关在明亮的地方，

生存时间会更短，

因为他们的活动会更加频繁。

所以，只有将螽斯麻醉，

再提供给自己的小宝宝们食用，

才能让幼虫们一直吃到最新鲜的食物。

也就是说，如果没有事先麻醉螽斯，

而是直接将她放在洞穴里的话，

大概不到5天螽斯就会死掉。

而死掉的螽斯很快就会腐烂，

那么，无法吃到新鲜食物的飞蝗泥蜂幼虫，

就会随着螽斯一起死去。

如果将活蹦乱跳的螽斯
和飞蝗泥蜂的幼虫一起关在洞穴里，
飞蝗泥蜂的幼虫
有可能被螽斯的腿踢伤，甚至因此而死去。
但是，被麻醉的螽斯
不但无法伤害幼虫，还可以一直保持新鲜的状态，
所以麻醉真是一举多得的好办法呀！

阿彩抓到的这只螽斯又肥又大，
对阿彩来说，简直是最完美的猎物了，
现在，只要将她搬回洞穴就可以了。
阿彩得意洋洋地跨在螽斯的身上，
正想搬运的时候，
突然想起了一件事，
"啊！对了！洞口还没有打开呢！
我得先回去把大门打开！"
阿彩看了一眼周围，
把螽斯暂时藏在了隐蔽的地方，
然后便赶紧返回洞穴去了。

阿彩急忙挖开洞穴的入口，
洞口只有一层薄土覆盖，
但是，心急的阿彩手忙脚乱的，
感觉挖了好半天才露出了洞穴。
阿彩心里一直在担心
自己捕捉到的那只螽斯的安全，
终于大门敞开，可以搬进螽斯了，
阿彩迫不及待地飞回捕猎场所。
幸好，螽斯仍然在原地，
阿彩连忙跨在螽斯的背上，
用大颚紧紧地咬住螽斯长长的触角。
"好了！这次真的该回去了！
回到我宝宝的洞穴里去吧！"
阿彩把重心放在腿上，
一点一点吃力地拖着螽斯朝洞穴爬去。

虽然用脚抱着猎物飞回洞穴会比较快，
而且会省不少麻烦，
但是，蟊斯那庞大的身体
对于娇小的阿彩来说，
实在是无法支撑，
所以她只好徒步把蟊斯拖回洞穴去。
"哎呀！真的好重啊！"

然而阿彩一想到这只肥硕的螽斯
能够给小宝宝提供充足的食物，
就感觉身上有无穷无尽的力量。
走到了梧桐树下，
前面出现了一段凹凸不平的砂石路，
阿彩感觉拖动螽斯更加费劲了，
因为螽斯的身体不断地卡在沙砾之间。
阿彩心想，
再这样下去说不定反会被螽斯的大颚咬伤，
于是，阿彩决定抱着螽斯飞行，
但是，螽斯的身体实在是太重了，
阿彩只能飞行很短的距离。
就这样，一会儿爬，一会儿飞，
不停地向洞穴前进。

阿彩快要到达那栋老房子附近时，
又产生了疑惑："我抓了一只比原先预计还庞
大的家伙，
我的房子有那么大吗？
如果因为房子小无法放进去就糟了。"
阿彩想到这些又不安起来，
"哎呀！还是再回家确认一下吧！"
阿彩再次放下猎物，飞回洞穴里察看，
阿彩猜的果然没错，
洞穴的空间确实比猎物小了一点。

阿彩赶紧着手拓宽洞穴的内部空间，
洞穴的入口也要扩大。
努力挖土的阿彩，
又开始担心起另一件事情：
"其他的昆虫会不会偷走我的猎物啊？
哎呀！这可怎么办呀？"
阿彩一边挖土，一边担心着螽斯。
经过重新修整，洞穴已经宽敞许多。
"啊！已经过了10分钟啦！"

阿彩迅速飞回到蟊斯的身边，
蟊斯依然倒卧在原来的位置上。
正当阿彩准备跨到蟊斯的背上时，
突然感到有些异常。
"啊！"
阿彩吓得立刻飞了起来。
没想到，刚才还一动不动的蟊斯，
突然张开大颚攻击阿彩。
如果阿彩反应稍微慢一点的话，
身体大概早就被蟊斯的大颚给撕烂了吧！
惊魂未定的阿彩不由长长地舒了一口气。

"你这个伪君子！
假装温顺，却突然攻击我！"
阿彩嘟囔着说。

螽斯愤怒地瞪着阿彩，

"哼！难道你是为我好吗？

你少来这套了！谁都知道，

你是为了自己的孩子才没有立刻杀死我，

你以为我有那么天真吗？"

有些尴尬的阿彩干咳了几声，

"不管怎么样，你迟早还是会死的！

所以没有必要那么挣扎了。

即使是我改变了主意将你留在这里，

你也只能多活17天啊！

就算你运气够好，

老天爷给你下一场雨，你也顶多只能活40天啊！

而且，只能一动不动地躺在这里。

所以请你不要再为难我了，

还是乖乖地成为我小宝宝的食物吧！

你说好不好啊？"

蝨斯根本不理会阿彩的解释，

可她对自己的命运也无能为力。

阿彩重新跨上蝨斯的后背，

这次她非常小心地避开了蝨斯的大颚。

由于阿彩的腿比较长，

只要姿势正确，

就不会被蝨斯的大颚咬到，

不过，得非常留意，

不能让蝨斯被沙砾或草根绊住。

阿彩一步步走向自己的巢穴，

眼看就要大功告成了。

可是，走了一阵之后，

阿彩感觉自己似乎一直在原地踏步，

不管怎么用力都停滞不前。

阿彩停了下来，
转身察看究竟是怎么回事。
又是这只螽斯在搞鬼，
她正在用脚钩着草根不放。
这次，阿彩真的生气了。

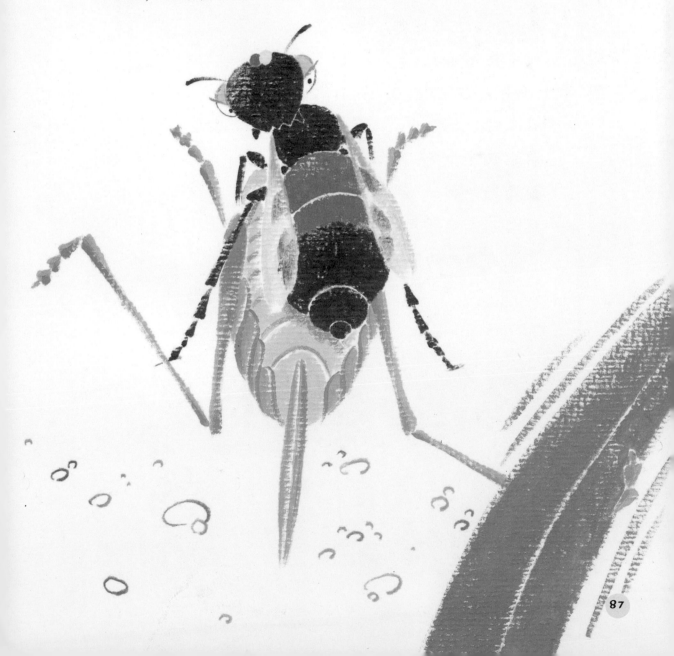

"我已经说过多少次了！
你还这么倔强，真是的！
我不是说过你已经没有希望了吗？"
螽斯也不甘示弱地回答道：
"我绝对不会放弃的！
我宁愿饿死在这里，
也不要成为你孩子的大餐！"
"如果是这样，那我也没什么好说的了！
让我们走着瞧吧！"
阿彩叹了口气，立刻爬到螽斯的后背，
使螽斯颈部的关节完全暴露，
然后用大颚紧紧咬住颈部深处，
那里有螽斯的脑神经节。

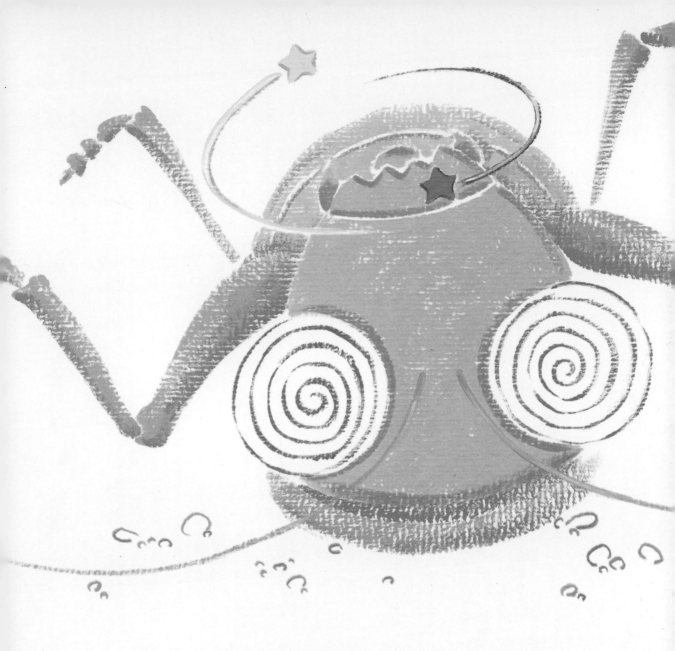

这时，千万不能再用毒针了，
如果用毒针蜇脑神经节的话，
蟊斯会马上死掉的。
只要做这个简单的小手术，
嚣张的蟊斯就再没有一点反抗能力了。

现在的蟊斯看起来好像完全死掉了一样，
但过不了几个小时，
蟊斯会从昏迷中醒过来，
脚、触角、产卵管、嘴巴旁边的短须，
以及大颚都会恢复到以前的状态。
因此，这次的手术是让蟊斯
暂时处于全身麻醉状态，
没有一丝抵抗的能力，
给自己的搬运争取足够的时间。

阿彩好不容易拖着蟊斯来到了洞穴前，

抬头看了看屋瓦下的房子，

才发现房子的高度比她想像中的高出了许多。

先前自己独自飞行的时候，并没有这样的感觉，

但是，今天想拖着蟊斯爬上去，

真不是件简单的事情，她有些茫然了。

"哎呀，这么高！我怎么上去呢？"

因为不可能抱着蟊斯飞上去，

"看来，只有一步步爬上去了……"

向来都是只要下定决心就不再犹豫的阿彩，

立刻开始了艰难的行动。

阿彩抱着沉重的螽斯，
沿着垂直的墙壁一步步向上爬。
虽然有时会和螽斯一起掉下来，
但是她始终没有放弃螽斯。
幸亏墙壁上到处可以找到凹凸不平的地方，
阿彩用脚尖用力踩住那些不平处，
奋力地向上爬。
让人惊讶的是，
阿彩爬行的速度和在平地上一样快。
"加油！加油！"
没过多久，阿彩终于爬到了洞穴入口。

阿彩一边喘着粗气，
一边将蟊斯放在了大门口，
可是，粗心的阿彩
竟然把蟊斯放在了屋檐边的瓦片上，
蟊斯从瓦片上掉下来怎么办呢？
粗心的阿彩根本没想到这些，
径自走进了洞穴，去察看房间了。

"这里可是小宝宝的房间啊，
应该好好整理一下才行！"
阿彩满脑子都在想着如何整理孩子的房间，
这时放在瓦片上的螽斯，已经掉在了地上。
整理好房间的阿彩，
看到原本放在洞穴入口处的螽斯不见了踪影，
觉得非常奇怪。

"明明是放在这里的呀!

哪儿去了呢?

不会是已经醒过来跑掉了吧?"

焦急的阿彩到处寻找蟊斯的踪影,

最后,终于发现了掉落在地的蟊斯。

"气死我了! 这个家伙怎么会在这里啊?"

阿彩一想到还要重新把这只蟊斯

拖到七八米高的屋檐上,

感到非常棘手。

"我的想法还是不够全面，

当初为什么选择这种地方呢？

不过，对小宝宝来说，这里可是最好的地方啊！"

阿彩一想到自己的小宝宝，全身又充满了力量。

"对！为了小宝宝，这点辛苦算得了什么呢？"

阿彩再次从地上拖起蟊斯往屋檐上爬，

这次，她直接把蟊斯拖进了洞穴里。

但是，被拖进洞穴里的螽斯进行了最后的挣扎，

不过，所谓的挣扎，

也就是轻微的颤抖和抽搐罢了，

仰躺在地无法翻身的螽斯，

已没有了任何攻击能力。

虽然螽斯的脚稍微恢复了一点力气，

但是，因为洞穴比螽斯的身体大许多，

使得螽斯无法用脚钩住墙壁站立起来。

阿彩从容地爬到螽斯的肚子上产了一粒卵，

对阿彩的小宝宝来说，

这个部位是最安全的地方。

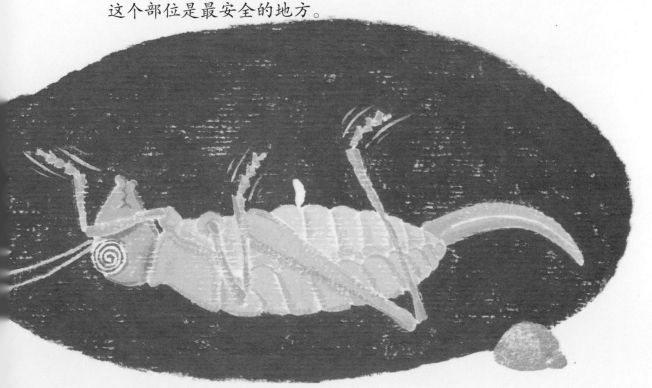

因为这个部位是蠢斯身上最薄弱的地方，

惟有将卵产在这里，才能确保不会遭到蠢斯的威胁。

阿彩经过反复确认，才放心地离开洞穴。

"我的宝宝应该很安全吧！

而且，那只肥肥的雌蠢斯，

一定能让我的宝宝健康成长！"

阿彩开始仔细地封锁洞穴入口

只见她将尾巴朝向洞穴入口，

用后腿把原先堆放在洞口外面的土往洞里推。

入口终于封好了，

但是，阿彩还是觉得不够安全，

"应该弄得更安全一点吧！"

于是，阿彩用大颚夹起沙子，

一粒一粒地堆放在洞口上，

接着，再用额头和大颚将洞口拍打得非常牢固，

这才点了点头，满意地说：

"现在，谁都不能伤害我的宝宝啦！"

重遇老友

完成任务的阿彩离开了洞穴，

悠闲地四处飞舞。

在飞过一个斜坡时，

突然听见非常熟悉的声音，

阿彩向发出声音的方向飞过去一看，

原来是老朋友小英。

阿彩本来想要大声地和小英打招呼，

但是，最后还是决定先不打扰正在工作的小英。

小英的身边堆放了 4 只已经被麻醉的蟋蟀，
"哎呀，小英捉了 4 只蟋蟀呢！一定很累吧？"
阿彩不想打扰正在认真工作的小英，
决定在一旁静静地看着她。

这时，突然有一只蟋蟀滚到了斜坡下面，

"哎呀！"

阿彩本能地飞了起来，想要抓住那只蟋蟀，

但是小英却好像一无所知，

仍然在耐心地盖着房子。

阿彩想："等小英把蟋蟀放进洞穴里时，

应该会发现少了一只吧！

这样，她一定会把蟋蟀找回来的！"

阿彩决定先不帮忙，继续观察。

小英整理好房子后，

开始把蟋蟀一只一只拖进洞穴里，

1只、2只、3只，小英总共放进去了3只蟋蟀。

阿彩心想："现在，小英该去找那只蟋蟀了吧！"
但是，小英进入洞穴以后，
过了好长一段时间都没有出来。
等到她出来时，
竟然着手封锁洞穴入口了。
阿彩惊讶地说："不对呀！洞里只放了 3 只蟋蟀，
难道小英就这样直接产卵吗？"

正当阿彩犹豫的时候，

小英已经将洞穴入口封好了。

阿彩摇了摇头说：

"小英以前在麻醉学校念书的时候，

算术就不太好，

没想到当了妈妈还是这样。

有了这样的妈妈，可怜的是她的小宝宝啊！

看来小英的宝宝会经常饿肚子了！"

担心也只是一会儿，

好久没见面的好朋友，

亲切地互相打招呼，聊起天来。

"不久前，我抓了一只超大的螽斯！真是够重的！"

小英听到阿彩这么说后，微笑着说：

"记得我们第一次认识的时候，

你还跟我说你不想打猎呢！

现在怎么变得那么厉害呀？"

阿彩不好意思地笑着回答：

"我说过那样的话吗？

那是因为当时我还没有当妈妈嘛！"

小英点了点头，赞同地说：

"没错！我也抓到了4只蟋蟀，

他们都是非常强壮的家伙，

只要看到他们腿上尖锐的刺，就让人难受。

要不是为了我的小宝宝，

我才不会靠近这些可怕的家伙呢！"

阿彩想了想，还是没有说出少一只蟋蟀的事。

如果小英知道了，

一定会觉得很没面子，

而且，还会因为担心孩子们而难过。

反正都已经产卵了，洞口也封住了，

现在告诉她也来不及了。

阿彩和小英一边聊着天，一边飞离了斜坡。

在阿彩和小英为孩子们准备的洞穴里，

幼虫吃着妈妈为他们准备的食物，健康成长。

正因为有了妈妈高明的麻醉技术，

他们才能吃到新鲜而又安全的美味呀！

虽然螽斯和蟋蟀都有尖锐的脚趾和强壮的大颚
以及如尖刀般的产卵管，
但是，这些不但无法伤害到飞蝗泥蜂的幼虫，
甚至连幼虫的身体都无法碰到。
或许有一天，宝宝们会自豪地说：
"我的妈妈是麻醉医生！
长大后我也要成为优秀的麻醉医生！"

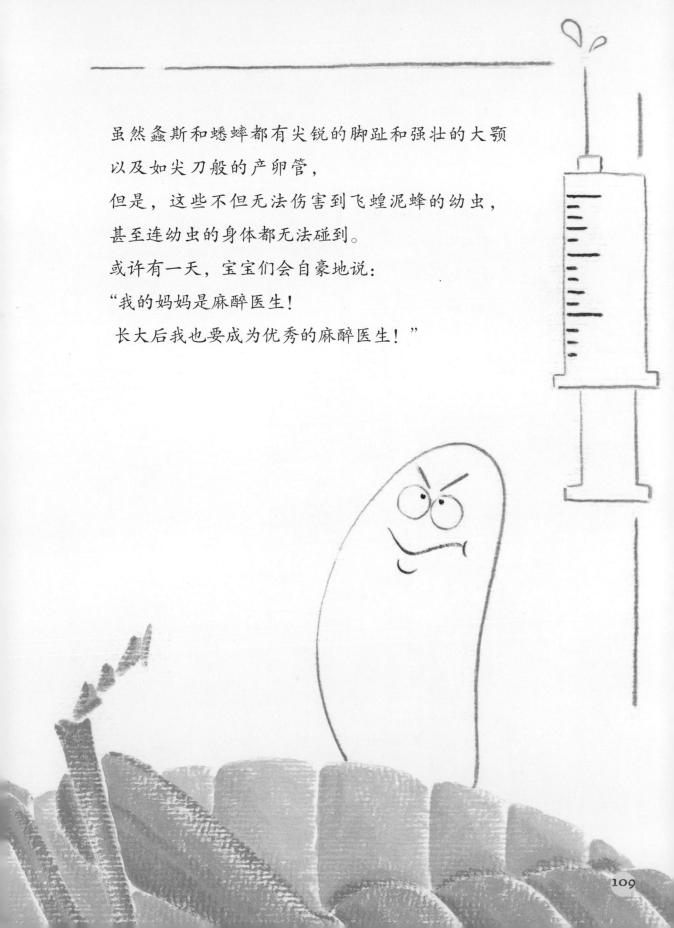

穿越时空系列 （12本 全彩）　穿越时间长河的神秘之旅

《穿越时空》系列图书是英国ORPHEUS图书有限公司出版的英文系列图书的中文版。每一本书都讲述一个主题，如城堡、火山、恐龙、交通、金字塔等等。翻开每本书都像经历一次旅行，但这绝非普通的旅行，而是一次穿越时间长河的旅行。每翻过一页，时间就向前跳跃几天、几年、几个世纪，甚至数万年。每个时刻——也就是旅行中的每一站，都是相关主题的一个篇章。

★ **科学性** 每本书都以时间为主线，通过细致入微的手绘和通俗严谨的语言讲述各个主题的历史变迁。每一页都有标示时间的"拇指索引"，显示宏大场景的图中还有很多名词术语的标注。书后还附有名词解释和索引，方便小读者们检索和查询。

★ **趣味性** 《穿越时空》系列书不像通常意义的历史书或科普书那样单调乏味，设计者运用了很多细节来增强趣味性。主题单纯，容易让你专心探究；以时间为序，让你有穿越时空的探秘兴趣。每本书每幅画面上都有一个角色作线索，且角色与画面场景融合，这样一种藏宝图般的设计，能激发你的好奇心，带领你更进一步地深入探索。

★ **图画细致精美** 本系列的每一本书的画面都气势恢弘，场面宏大，很具观赏性，同时又相当细致，画中即使有几十个人物，也能做到个个栩栩如生，都有不同的动作和表情。很多建筑都进行局部切开，方便看到内部结构。这样的剖面图设计，可以培养你的审美能力和立体感。

★ **语言娓娓动听** 本系列均由英美文学专业硕士翻译，北师大英美文学博士导师审定，语言流畅，娓娓动听，与图画相得益彰，让你有穿越时空、身临其境之感。其中很多名词术语都经过译者和编辑仔细核实和反复推敲，保证了在科学性的基础上达到很高的文学性。

Youpi 小百科系列（10本 全彩）

　　"Youpi"是法语中小孩表示兴奋的惊叹词，相当于"哇，真棒！"Youpi 小百科系列是法国最受欢迎的儿童百科读物。书中包含了丰富的动物、植物、自然、科技等内容，带领小读者观察世界，学习各种好玩而又实用的知识。每一本书都包含六个主题，通过拉页的方式，让小读者们惊喜地发现其中隐藏的有趣知识，也可以满足小朋友动手体验的渴望，激发探索事物的好奇心。

　　丰富有趣的内容，是探索科学的最佳读物

　　你知道长颈鹿的舌头是黑色的吗？抹香鲸能潜入海洋最深处，是最棒的潜水冠军呢！你注意到水有时能在空中跳跃吗？中世纪的骑士如何比武？未来的汽车是什么样子？Youpi 系列用最简单、最有趣的方式，带领小读者了解世界的秘密。

　　独特的编排设计，激发探索的欲望

　　在每一本书中，醒目的主题图片都呈现在两个单页上，双手拉开这两个单页，就会惊喜的发现里面相连的四页中藏着丰富有趣的知识。

　　生动精彩的图文，好玩有益的实验，让你手脑并用

　　每一个主题都搭配大量的图画，用写实的画法或者精致的照片，将每一个主题最重要的特点完整地表现出来。文字简洁幽默，让小读者轻松吸收相关信息。在每个主题的最后一页，以幽默可爱的漫画进行更详细的补充，用生活中的常见物品来讨论与主题相关的常识，非常容易理解；同时，也安排了简易有趣的小实验，让你可以动手操作，比如：怎样给鸟儿制作鸟巢，怎样让下沉的物体上浮等等。

请在这儿写下你与昆虫之间的故事吧：